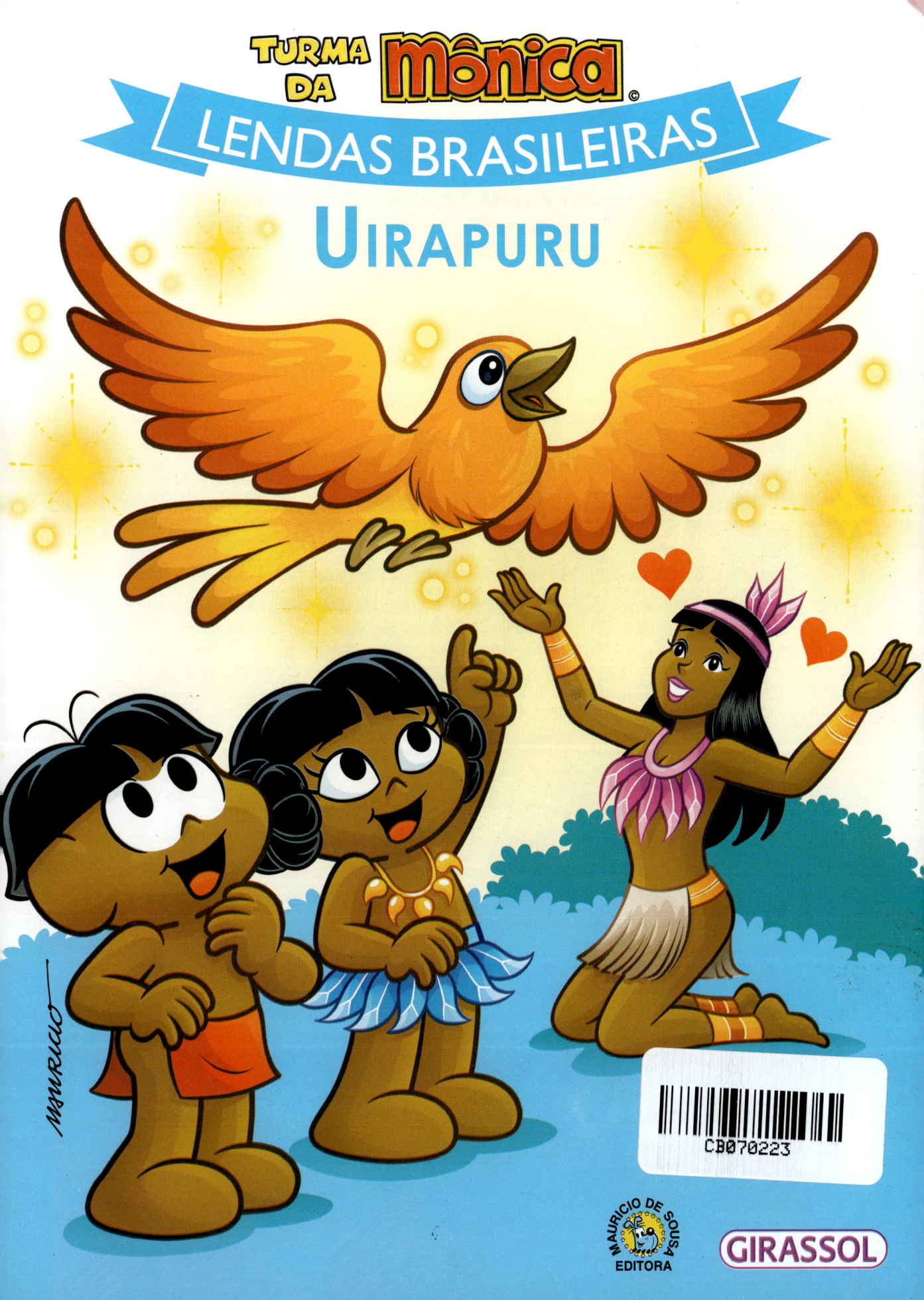

Os nativos da floresta amazônica contam que, no sul do Brasil, existia uma tribo de índios valentes e que um dos guerreiros era apaixonado pela filha do cacique.

ELE ERA UM RAPAZ FORTE E INTELIGENTE. E A MOÇA ERA BONITA E DELICADA. OS DOIS SE CONHECERAM NUMA FESTA DA TRIBO E LOGO SE APAIXONARAM.

MAS HAVIA UM PROBLEMA: O CACIQUE JÁ TINHA PROMETIDO QUE SUA JOVEM FILHA SE CASARIA COM OUTRO GUERREIRO. MESMO ASSIM, O CASAL NAMORAVA ESCONDIDO. E SEMPRE QUE O CACIQUE SAÍA PARA CAÇAR OU PESCAR, OS DOIS APAIXONADOS SE ENCONTRAVAM.

CERTO DIA, A INDIAZINHA, INCOMODADA COM AQUELA SITUAÇÃO, DISSE PARA O SEU AMADO:

— TEMOS QUE CONTAR PARA O MEU PAI SOBRE O NOSSO NAMORO. ELE NÃO VAI NOS PERDOAR SE DESCOBRIR ESSA TRAIÇÃO.

O GUERREIRO PASSOU DIAS E DIAS PENSANDO EM COMO FALAR COM O CACIQUE SOBRE O SEU NAMORO COM A LINDA INDIAZINHA, MAS NÃO CONSEGUIA DESCOBRIR UMA MANEIRA.

ENTÃO, O CACIQUE ACABOU DESCOBRINDO TUDO, POR CONTA PRÓPRIA. E, ADIVINHE: FICOU FURIOSO!

— ISSO FOI UMA TRAIÇÃO! GUERREIRO NÃO TRAI CACIQUE! E FILHA DE CACIQUE JÁ É PROMETIDA PARA OUTRO HOMEM! VOCÊS VÃO PAGAR POR ISSO!

MUITO BRABO, O CACIQUE INVOCOU TUPÃ:

— TUPÃ, PEÇO QUE O GUERREIRO QUE SE APAIXONOU PELA MINHA FILHA SEJA TRANSFORMADO EM UM PÁSSARO E PASSE O RESTO DA VIDA VOANDO PELAS MATAS.

A INDIAZINHA, DESESPERADA, GRITAVA:

— NÃO, PAI! POR FAVOR, NÃO! EU ME CASO COM O GUERREIRO PROMETIDO, MAS NÃO FAÇA MAL AO MEU AMADO!

MAS TUPÃ ATENDEU AO PEDIDO DO CACIQUE E TRANSFORMOU O JOVEM GUERREIRO NUM PÁSSARO CHAMADO UIRAPURU.

MUITO TRISTE POR TER PERDIDO A SUA AMADA, O GUERREIRO, AGORA EM FORMA DE PÁSSARO, CANTAVA TODOS OS DIAS, AO AMANHECER, POR CINCO OU DEZ MINUTOS, BEM PERTINHO DA OCA ONDE DORMIA A INDIAZINHA. FAZIA ISSO PARA MATAR UM POUCO DA SUA SAUDADE.

QUANDO SOUBE DISSO, O CACIQUE FICOU LOUCO DA VIDA. REUNIU OS MAIORES CAÇADORES DA TRIBO PARA CAPTURAREM O PÁSSARO.

AO SABER DOS PLANOS DO PAI, A INDIAZINHA CORREU PARA AVISAR O PÁSSARO, NO MEIO DA FLORESTA. ELE PRECISAVA FUGIR PARA BEM LONGE.

— NÃO VOU FUGIR! FICAR LONGE DE VOCÊ É PIOR DO QUE A MORTE! — EXCLAMOU O JOVEM TRANSFORMADO EM PÁSSARO.

E A INDIAZINHA RESPONDEU:

— MAS SE EU SOUBER QUE VOCÊ ESTÁ VIVO, MINHA TRISTEZA SERÁ MENOR, PORQUE, EM ALGUM LUGAR, VOCÊ CONTINUARÁ CANTANDO O NOSSO AMOR!

ENTÃO, O PÁSSARO SAIU VOANDO, SEM DESTINO, ATÉ CHEGAR AO NORTE DO BRASIL, NA FLORESTA AMAZÔNICA, ONDE VIVE ATÉ HOJE.

ESTA É A HISTÓRIA DO UIRAPURU, UM PÁSSARO RARO, DE COR AVERMELHADA, QUE NÃO SE MOSTRA FACILMENTE. QUANDO ELE CANTA, O SOM É TÃO BONITO QUE TODAS AS OUTRAS AVES DA FLORESTA SE CALAM.

SEGUNDO A LENDA, QUEM ENCONTRA UM UIRAPURU TEM QUALQUER DESEJO REALIZADO, POIS ESTE PÁSSARO É O SÍMBOLO MÁGICO DA FELICIDADE. E É POR ISSO QUE OS INDÍGENAS O RESPEITAM TANTO E TRANSMITEM SUA HISTÓRIA DE GERAÇÃO PARA GERAÇÃO.